고선애 시집

그날의
따스한
바람

고선애 시집

그날의
따스한
바 람

어느 방향으로 고개 돌릴지 재지 않고
어느 빛깔의 꽃잎으로 맺힐지 고민하지 않고
그저, 너의 본색대로 꽃피운다

꽃샘추위에 움츠리기도 하고
살바람에 흔들리며 흔들리며
첫 꽃망울을 터뜨린다

꽃피울 때는
철저히 혼자라는 것을 알고
자기만의 아름다운 것들로 자라가는
너는 봄꽃이다

2024년 1월
고 선 애

차례

2장 내가 너를 사랑하는 방법

3장 보고 싶다는 말은 깊은 슬픔이다

1장 너는 봄꽃이다

들꽃처럼

들에 핀 들꽃은
누가 알아주지 않아도
제 모습대로 꽃피운다

어디에서든
곁에 누구와 든
자신의 역할을 충실히 해낼 뿐이다

바람이 불면 바람을 온몸으로 맞고
해가 나면 있는 힘껏 해를 바라며
있는 모습 그대로 꽃피운다

낮은 곳에 있지만
고스란히 살아있는 채로
매일을 생생하게 살아간다

하루도 죽은 채로 살지 않겠다

들꽃처럼

순간을 살아있는 채로 살리라

오늘도 수고했다

오늘도 수고했다
무겁고 불편한 오늘이 조금은 가벼워지길

오늘도 애썼다
차갑고 불안한 오늘이 조금은 따뜻해지길

오늘도 고생했다
고되고 우울한 오늘이 조금은 행복해지길

오늘을 버틴다는 건
또 한 번
나를 이겨내는 것

온기

더위를 많이 타는 사람을 만났다
머리숱도 많고 수염도 많다
겨울에는 추우면 입을 수가 있지만
여름에는 벗어도 더워 괴롭다며
여름이 싫다 했다

정이 많아 체온이 높은 것일까
마음을 내주다 보니 온기가 많은 것일까

경로당 점심을 신청하러 오신
잘린 손목을 보고
젊은 시절 기계에 장갑이 들어간 사연 앞에
금세 눈시울이 붉어지는 그는
자신의 체온을 건네는 일 외에는
다른 일은 못할 것 같다고
수줍게 말한다

추운 날에도 추운지 모르는 그는

마음에 온기가 가득한

낭만적인 이타주의자

너에게

수많은 고난을 지나는 인생에서
너에게 기댈 언덕이 되어 줄게
너를 언제나 자랑스러워하고
너를 언제나 응원한다
언제까지나 너를 믿는다
나의 문은 너에게 항상 열려있다
너에게 용기를 주고
부드러운 위로가 되어줄게

친구에게

한동안 연락 없이 잘 지내다가도
문득 너에게 전화가 오면
내 얼굴은 작은 봄까치꽃 마냥
활짝 피어난다

늘 먼저 안부 전화를 해주었던 덕에
지금까지 우리가 여전히 애틋한 가보다
고마운 마음 어떻게 전할까

여러 시절을 함께 했지만
아직도 만나면 나눌 이야기가 많아
서로의 온기 가득한 손을 바라보며
눈 맞추고 웃을 수 있다면
네가 있는 어느 곳이든 좋아

몸과 마음이 지쳐서

숨고 싶은 날
깊은 숲속에 숨어 들더라도
나는 너를 찾아 낼거야
어디나 비춰주는 햇살처럼
너를 따뜻하게 해줄 거야

너에게 나는 초가 되고

나 너에게
밝은 빛이 되고
따스한 향기가 되어

내 몸 다 태워
너를 밝게 할 수 있다면
너를 웃게 할 수 있다면
나는 기뻤다

내가 다 타버린 후에도
너에게 내 향기가
잠시나마
여운이 된다면
이내 버려지더라도

너에게 나는 초가 되고 싶었다

노을

아름다운 노을은
하루를 애쓴
당신을 위한 위로다

끝끝내 하늘에 길게 늘어트린 햇살조각은
당신에게 쏟아 붓는 나의 사랑이다

5월에 드리는 편지

숲속의 여린 나뭇잎 되어
말갛게 얼굴 씻고

산책길 붉은 장미꽃 되어
싱그럽게 미소 짓고

가로수 하얀 이팝나무 꽃 되어
수줍게 손 내밀어

파아란 하늘 구름 위에 마음 담아
그대에게 띄웁니다

여기서 시간을 잊고
고운별 가슴에 품고
영원을 바라는 눈으로
그대를 꿈꾸며 살아갑니다

별2

가슴에 반짝이는 별
그만 숨기고
이제는 보여줘

넌 이미 반짝이는 별이야

별은 어둠으로 인해 반짝이는 존재야
네 곁에 있는 어둠을 인정해 주고
그 어둠으로 인해 더 반짝이게 되는 너

다른 별과 다른 속도로 반짝일 너를
온 우주와 함께
응원할게

너의 생일날

네가 태어난 날은 나도 태어난 날
내 세계로 네가 온 날

얼음판 같았던 내 인생에
모닥불의 열기 같은 너의 존재로

암흑 속의 내 삶에
반짝이는 촛불 같은 너의 존재로

잊지 말아 줘
가장 소중한 너는
빛나는 별과 같아
나를 숨 쉬게 하는
공기와 같아

실패해도 괜찮아

애써서 세운 계획들이
이제는 아무것도 아닌 것이 되었을 때

온 마음을 다 쏟아서
열정을 다 불태웠건만
결국
아무런 열매가 없을 때

그럼에도
삶은 지속해야 해요
새로운 날은 계속되니까

그동안 수고했다고
나를 꼭 안아줘요
나다운 모습 잃지 않고
다시 새 삶을 살아갈 힘이 나도록

믿어주는 마음

내가 무엇을 하든지
나를 사랑할 것 잊지 말아요
혹여 실패를 만나
더 작아진 나를 마주할 때
더욱 자신을 믿어주세요

여기까지 온 것도
자신을 이겨낸 것이죠
생각보다 당신은 강한 사람이에요

지금의 상태를 나의 미래로 단정하지 말아요
약해진 나를 지켜줄 사람 또한 나 자신이죠
깊이 자신을 믿어주세요

위로의 시간

삶이 무겁고 고된 지금
나를 돌아보는 시간을 가져요
누군가에 의해 위로받기보다
오로지 나에게서 말이죠

나의 순간들
모든 것을 기억하는 나에게
그 누구보다 사랑한다고

나를 사랑하는 일을 아주 잘 했으면
나를 알아가는 일을 아주 잘 했으면

종국에는 잘 될 거라고
위로의 시간을 가져요

입춘

창가에 스며든 향기로운 햇살에
앞마당 찬찬히 걷다 보니
뽀얗고 싱그러운 작은 매화꽃
봉그레 미소 짓는다

여전히 매서운 바람결
외투를 여미며 양산천 둔치를 걷다 보니
이른 봄놀이하는 오리들이 수십 마리

저 멀리 높은 산에
잔설은 반짝이고
고단한 세상살이
괴롭고 어려워도
소한 대한 지나고
입춘이 어느샌가
꽃샘바람 올지라도 마침내.

너는 봄꽃이다

따뜻한 햇살을 좋아하고
흐음뻑 적시는 봄비를 기뻐하는

대지도 필요치 않고
잦은 바람도 필요치 않고
그저, 너의 자리에서 꽃피운다

어느 방향으로 고개 돌릴지 재지 않고
어느 빛깔의 꽃잎으로 맺힐지 고민하지 않고
그저, 너의 본색대로 꽃피운다

꽃샘추위에 움츠리기도 하고
살바람에 흔들리며 흔들리며
첫 꽃망울을 터뜨린다

꽃피울 때는

철저히 혼자라는 것을 알고
자기만의 아름다운 것들로 자라가는
너는 봄꽃이다

기대

이슬이 담뿍 담긴 아침 꽃처럼
미소가 담뿍 담긴 그대 얼굴빛

오늘을 시작하는 아침은
그대의 미소만큼
활짝 피었습니다

저녁이 익을 때까지
온 하루가 그대로 가득

아침이 밝을 때까지
순수한 마음이 소복

수북한 이팝나무 꽃처럼
진실한 우리의 이야기도
겹겹이 쌓여

아름답고 하이얀 꽃 되어
평온할 내일을 기대합니다

부디 내일까지 안녕히.

12월의 기도

찬바람 부는 12월에는
지나온 한 해를 온전히 껴안고
고요히 긴 추위를 이겨내게 하소서

눈 내려 추운 12월에는
시린 손 꼭 잡아줄 곳에 나 있게 하시고
당신을 기다리는 자리에 나 자리하게 하소서

열한 달 지난 12월에는
소리 없이 내리는 새하얀 눈꽃 닮아
따뜻한 발자취로 남은 날 빛나게 하소서

나이든 손

노인 일자리 선발된
전국의 수많은 어르신들
일지 들고 사인받고
일터 향해 걸어간다
얇은 피부 덮인 굵은 손마디는
구부러진 나뭇가지처럼
깜깜하고 투박하다

모자 쓴 회색 머리칼
마스크 덮인 어두운 얼굴들
순서를 기다리는 처연한 눈빛들

하루 3시간 한 달 열 번
환경 정비로 온 동네
말개지는 일

보령시는 87억 투입
창원시는 442억 투입
어르신 통장에는 27만 원

태평양의 거리만큼
대서양의 거리만큼
시간이 흐르면
AI가 나이 든 손을 대신할까

이태원에서 사라진 얼굴

사람들이 했던 그 어떤 말도
눈물이 되었다

대중문화 강국 대한민국에서
겹겹이 뒤엉킨 죽음이라니

깊숙이 스며든 저주는
얼굴을 할퀴는 악의 뿌리가 되어
먼저 가버린 너를 붙잡고
놓아주지 않는구나

이 찬란한 가을
단풍 꽃 속에도 네 얼굴
구절초 속에도 네 얼굴
붉은 달 속에도 네 얼굴

내 몸에서 세상으로 온 얼굴을

차마

저 세상으로 녹일 수가 없다

양면성

귀를 빌려주고
우주적 힘을 모아 너를 그린다
분명하고 일관된 태도로
그리움에 몸을 쥐어짠다

둘 사이의 환상이 조우할 때
루소의 심장처럼
해를 향해 활짝 열리고 불붙는다
호흡이 기쁨으로 고동친다
숨겨둔 얼굴을 내밀며
깊고 살갑게 스며든다

아픔과 황홀이
양면에 붙은 동전처럼
불가피한 일
너를 만나는 일

얼굴 모르는 그녀는

미역국에 얼굴 모르는 그녀가 떠오른다

고모 집에 맡겨져
밤마다 눈물로 기다리던 그녀가
다시는 나타나지 않았다

가슴 깊이 묻었으나
시퍼런 미역국을 볼 때마다
그녀가 악착같이 나타난다

시뻘건 생명이 세상에 도착했을 때도
한 대접 가득 든 파란 미역국 위로
얼굴 없는 그녀가 어김없이 점착된다

언젠가 미역국 같은 그녀에게
내 볼을 비벼 댈 수 있을까

어디에서부터 날아오는가

얼굴 모르는 그녀는

벚꽃

화사한 얼굴을 한 나는 절세미인이라
봄날을 떠올릴 때 나를 빼고는 상상할 수 없으리
오래 바라보는 이에게
내 속에 별을 보여주고 싶다
순결하고 보들한 옷만 골라 입지만
겉모양하고 다르게
관능미가 넘친다

향기를 흘리지는 않지만
코 대고 가까이 다가오는 이에게는
진하고 달콤한 속살의 향기를 주고 싶다

완연한 봄에만
활짝 만발한 나를 볼 수 있다
멀리서 보면 눈송이들을 매단 듯한 나는
한 번에 확 살아나고 한 번에 확 사라진다

가을 시

네가 도착하기 전부터
창문 넘어 마중한다

바라만봐도
곁에 있어도

나는 고독한 가을에게
그림자가 되고 싶어

단풍잎 불타듯
일렁이는 그리움

그 심장에 다시 닿을 수 있도록
내 영혼의 가지런한 두손을 보인다

아까시 꽃

아까시 꽃향기 진득하다
포도송이처럼 송이송이 모여
진한 향기 멀리멀리 뿌리니
그 향기 코에 닿아 아까시 꽃을 바라본다

정갈한 꽃송이마다
달콤한 꿀 머금으니
벌이 붕붕 드나들고
나도 향기 날리는 이 길 거닌다

하이얀 꽃송이
청순한 여인의 버선발 같아라
만져보고 싶고
맡아보고 싶고
먹어보고 싶도록
매혹적인 꽃이여

푸른 오월 이 길에서

아까시 꽃향기

함께 하고픈 사람 떠오른다

그날

겨울 지나면
반드시 온다

따뜻한 햇살이 있고
촉촉한 봄비가 내리는
생명의 환희가 터지는
네가 오는 날

꽃샘추위 살바람에
허리 꼿꼿이 새워 견디고
닿을 수 없는 외로움에
너를 잠시 잊어도

기다려도,
기다리지 않아도,
기다림 자체를 잊어도,

그날의 따스한 바람 데리고 올 것을

나는 안다

2장 내가 너를 사랑하는 방법

진심

사랑하는 사람에게
내 전부를 준다는 것은
너무 아픈 일이라 했다

사랑하는 일이
종국에는
홀로 견뎌야만 하는
깊은 아픔이 기다린다 해도
난 다시 그대를

나의 온 하루는
그대에게 사랑을 주기 위한 날

그대를 사랑하는 일이
지금 내가 할 수 있는 가장 행복한 일
나의 진심

그대라는 책

그대는
제목부터 마음에 드는 책
화려한 디자인의 겉표지는 아닐지라도
한 장 한 장 넘길수록
빠져든다

흥미롭고 안온한 그대의 세계
생각의 틀을 뒤흔드는 힘이 있고
나를 나로 온전히 존재하도록
깊이 끌어주는 책

다음 장을 넘기기 전
그대의 문장을
달달 외워본다

내 삶에 그대가 스며들기를 바라며

늘 곁에 두고 읽고 또 읽고 싶은

그대라는 책

쉴 새 없이

널 알게 된 것이 우리의 시작이 될 줄 몰랐어
여러 군데 찔렸던 심장의 구멍에
쏟아지는 너의 빛으로 채워지기 시작했어

사람들이 내게 했던 그 어떤 일도
아무것도 아닌 게 됐지

너의 말을 듣기 전에는 다른 어떤 것도 믿지 않아
마지막 판단에서도
모든 것을 무시하고 오로지 너의 말을 믿어
내게 용인된 너라는 행운을 놓지 않을 거야
이미 깊숙이 스며든 너의 진실이
완전한 우리가 될 때까지

쉴 새 없이 사랑한다

너를 알아보지 못했더라면

두 영혼의 창문이 열리지 않았더라면
뜻밖의 끌림으로 빨려들지 않았더라면
너를 심장에 품을 수 없었으리라

깊이와 넓이를 알 수 없는
인연의 기회가 스칠 때
반짝이는 두 눈을 알아보지 못했더라면
너와 내가 마주할 수 없었으리라

타는 목마름으로 남은 생은
여전히 너와
열린 창문 사이로
너를 품고 세상을 드나드리라

부단한 중력

지구와 물체가 서로 끌어당기듯이
내 입술은 당신 입술로
내 손은 당신 손으로
내 몸은 당신 몸으로 끌어당긴다

질량을 가지고 있는 모든 물체가 서로 잡아당기듯
우리의 질량만큼
우리의 사랑만큼
서로를 잡아당긴다

당신을 거스르면 할수록
더 큰 힘으로 끌어당긴다
당신의 사랑은
내게
부단한 중력

너란 존재는

안갯속을 더듬거리며 헤매다
불친절하게 불쑥 고개를 내미는 아픔 때문에

작은 영혼이 녹아내리던 내 방에
빛이 소멸한 내 온 우주에
조금씩 죽어가는 꺾인 장미꽃 앞에
피가 뚝뚝 떨어지고 있었다

어느새 차디찬 손잡이를 열어젖힌 나의 구원자여
너란 존재는
내 속에 있는 모든 것에 생명의 희열을 터트리는
내 영혼에 가장 뜨거운 빛이 되어
삽시간에 문신으로 새겨졌다

얼마든지 죽어가고 있던 나를
생생하게 살려 내었다

마지막이 되고 싶어요

나는 당신의 모든 것에 처음이 될 수 없지만
당신과 함께하는 것들은 내게 처음이죠

많은 시간이 흘러서
우리가 함께 하는 것들이
처음이 아니게 되더라도

종국에는 당신의 모든 것에 나는
마지막이 되고 싶어요

당신의 가슴 한편에
그리움의 별로 남고 싶어요

시

시가 어느 날 다가왔어

열꽃처럼 뜨거워지다

표현할 수 없는 감각이 채워질 땐

길을 걷는 중에도

꽃을 보는 중에도

구름을 바라보는 중에도

내게 손짓하는 시를

만나게 되었지

예전에 알 수 없었던

무언가 시작됐지

나름의 색으로 풀어보기도 하고

가보지 못한 세계를 상상하기도 해

바람에 실린 향기도

까만 밤하늘 별들도

오래도록 바라보는 시간이 늘었지

온 우주가

시의 얼굴이 되어

내 심장은

오월의 나무 잎사귀처럼 춤추며

흔들리고 있어

오후의 숲

숲속으로 들어간다
이 숲을 몰랐던 때로,
출발점의 길로 돌아가지 못할 만큼
매혹적인 숲속으로 들어간다

나를 격려해 줄 모든 것이 깃든 숲
나의 길이 그곳에 있다
나를 향해 살아있는 숨결을 쏟아내는 나무들
그 공기는 신비스러운 색으로 물든다
구름이 갈라지고
태양의 빛줄기가 똑바로 내려
나의 발을 온기 있게 한다

귀에 들리는 침묵은
내게만 들리는 너의 언어다

금목서

달빛 아래 그리움을 밟다가
황홀한 향기에 고개 든다
별과 같이 반짝이는 주황 낯빛

연고 없는 남부지역 여러 해 지내보니
그리워 그리워 소리 없는 외침에

마침내,
찬란하고 화려한 향기로 화답하는 고운 자태

가을에 꽃이 지고 서리를 견디고
다음 해 가을이 되어 꽃이 필 때 즈음까지
오랜 기다림 끝에 열매를 활짝 피워내는
주황 다발의 미

감히, 당신을 사랑하게 되었다고 고백한다

진심으로

지금 사랑에 결심하라
온 마음을 다해 사랑하기를
세상 가장 소중하게 여겨주기를

내 사랑의 아픔은
타인이 대신해줄 수 없다
지금 사랑에 진심을 다하라

아주 사소한 행동으로
하루를 무너지게도 하고
아주 소소한 감동의 언어로
마음을 가득 채우게도 하는

지금 사랑에 진심으로

시간

너와
시간을 흘려 보내고 싶다

오롯이 서로를 향한 호흡으로
눈빛을 나누며

가장 무모해지는 시간이라 하더라도
이 시간은
내가 살아있는 시간

결코 돌아오지 않는
소중한 시간

시간을 함께 나누는 것은
날 살게 하는 힘

봄의 시작

둑길에 개나리 합창단
봄을 노래한다
네 꽃잎을 활짝 벌리고
입모양 똑같이
봄을 부른다

진한 노란색으로
길게 늘어선 둑길에
봄을 환영하는 함성 들린다

합창단의 노래가 봄소식 환영하듯
그대 오시던
그 봄날 기억하며
내 마음도 함빡 부풀어
그대 부른다

겹홍매화

겨울의 시린 이별 뒤로 하고
봄소식 알리는 꽃
겹홍매화의 수줍은 향기가 흩날리네

비단 옷 겹겹이 분홍 빛깔 발산하니
첫사랑에 볼 붉히던 그대 모습 떠오르네

부드러운 꽃술들이
희망의 봄을 속삭이니

겨울에 베인 상처는
겹홍매화로 오신 그대로 인해
봄 햇살 듬뿍 담은
보드라운 새살 돋아납니다

우주

서로를 같은 마음으로 바란다는 것은 기적이겠지
사랑이 영원하다는 것도

여름 밤공기처럼
너의 우주를
오래 걷고 싶다

곁에 두고
오래
오래
걷고 싶다

한 여름밤의 고백

사랑 노래가 흐르는 새벽 2시
그대 생각에 심장이 춤을 춘다

촉촉이 내리는 비는
고요한 내 마음에 흩뿌려진 그대

언제부터 그대가 들어왔을까
점점 스미는 빗소리처럼
온종일 젖어든다

언젠가 그대와 걸을 수 있다면
내 앞에 그대 얼굴 마주할 수 있다면
설렘에 흔들리는 새벽 감성은
잠잠히 고개 숙일 텐데

한줄기 빛으로 내게 온 그대에게

한 여름밤의 고백을

전할 수 있다면

빛나는 여름밤

8월의 여름 밤
흔들리는 나무들 사이
시원한 저녁 바람에
반갑게 맞아주는
밝은 그대의 미소 앞에서

세상 다 가진 기쁨이
우리에게 한 두 가지가 아니겠지만

당신의 눈동자를 바라보는 일
당신을 미소짓게 하는 일

사랑이 빛난다

매일

흐뭇한 날도
시쁜 날도
날마다
그대 곁에 내가 있어줄 수 있기를

하루하루가 모여
우리의 추억이 쌓이고
아름다운 몸짓들
인생이 되어줄 수 있기를

여전히 '사랑'이라는 한마디에
가슴 벅차오르길

당신과 무인도에 간다면

슈만의 사육제는 필수
이 곡과 함께
당신이 곁에 있다면
그곳이 무인도라 해도
그 무엇도 부럽지 않으리

햇빛이 부서져 은빛처럼 눈부신 바다에서
나에게 용인된 당신을 사랑하는 일
세상 가장 대단한 그 일을 할 수 있다면

그 어떤 이름보다
압도적인 힘이 있는
사랑이라는 이름으로
뜨겁게 뜨겁게 살아가리라

겨울바다

소금기 가득한 바다 냄새
짙고 푸른 높은 하늘에
빠르게 지나치는 구름 조각

깊은 파란색 위 반짝이는 금빛 가루는
눈의 감각을 마비시키며

파도가 부서지는 사르륵 소리가
고픈 귀를 간지럽히지

까르륵 갈매기 쫓아 달려가는 아이의 웃음소리
바닷가에서 추억 사진 남기려는 청춘들

그리움 가득 뱉어내는 겨울바다의 하얀 포말
하염없이 이어지는 수평선을 본다

우리의 이야기만 해요

우리의 이야기만 해요
아침에 맑은 새소리를 듣고
그대 생각이 났어요

산책하다 예쁜 들꽃을 보고
그대 생각이 났어요

따사로운 햇살과 부드러운 바람결에
기분 좋은 오늘을 보냈노라고
우리의 이야기를 해요

멀리 떨어져 사는 동안
하루를 온전히 행복하게 지내기로 다짐해요

그대 곁에 가장 짙은 그리움으로 남아
그대가 그곳에서

따뜻한 진심을 느낄 수 있도록
이야기를 들려줄게요

그대를 만나고

더 이상 혼자가 아닙니다

산책을 해도 혼자가 아니라
그대와 함께 걷는 거예요

따뜻한 커피를 마셔도 혼자가 아니라
그대와 함께 마시는 거예요

아름다운 석양을 보아도 혼자가 아니라
그대와 함께 바라보는 거예요

그대를 만나고
무엇을 해도 혼자가 아니라
그대와 함께 하는 거예요

온 우주를 그대와 함께

스파트 필름에게 그대의 안부를

그대에게 가까이 갈 수 없어
아침마다
스파트필름의 잎을 닦는다

잎을 쓰다듬으며
그대는 잘 계실까

멀리 있어 볼 수 없지만
그곳에서 안녕하시길
하루 동안도 평안하시길

내 사랑

햇살이 창가로 스며들어와 인사하듯
봄바람이 귓불을 스치며 어루만져 주듯
너는 다가와 가만히 노래를 부른다

부드럽게 속삭이며
다감한 눈빛으로 바라본다
나를 기쁘게 해주는 존재

내 사랑

그리워

어떻게 그대를 만날 수 있었을까요
아무리 생각해 봐도
우리의 처음이 어떻게 시작되었는지
그대라는 행운이 소리 없이 내게 왔어요

그립고 그리운 그대
이 밤
그대의 온기에
온몸이 흠뻑 담겼다고
내 마음 전해요

그는 나에게로 걷는다

창가에 비치는 오전의 따사로운 빛처럼
어느샌가 내 삶에 스며
소중한 일상을 더 기쁘게 해준다

그늘 한 가닥 바람 한 줄기가 더했다면
곱슬거리는 부드러운 머릿결 따라 흐르는 턱 선과
고요하고 감미롭게 나를 바라보는 눈빛
찬연히 빛나는 얼굴빛의 매력이 반은 가리우리라

마음을 사로잡는 미소로
순결하고 환하게
가슴 깊이 결연한 사랑을 향해
찬찬하고 힘차게
마음에는 사랑이 깃든 채

그는 나에게로 걷는다

긴 하루

그리운 너에게 하고 싶은 말들
너를 위한 고운 마음 아껴둔다
만날 수만 있다면
그날만을 손꼽아 기다린다

잘 있다는 소식만으로 충분한 나는
긴 하루를 견딜 수 있겠다

기다림

온종일 네 생각
내 기다림은 숨이 멈출 때까지 계속될 테지
기다림마저
그저 감사하다

그대는 봄비

그대는 나를 흠뻑 젖게 하는 비

검은 구름으로부터 내리던 그대는
나를 만나서
봄비가 되었어요

나는 하나의 작은 풀잎이지만
봄날 내리는 그대를 만나서
활짝 꽃피울 수 있는 내가 되었어요

그대의 환한 미소를 만들
밝은 꽃이 되어 반짝이리
이 밤 봄비에
흠뻑 젖어 들고 싶어요

연결

그대와 살아간다면
영원히 헤어지지 않으리
함께 한다는 것만으로도 감사하며
살아갈 것이다

우리의 인연이 물리적 공간에서
함께 살 수 없다 하여도
우리는 연결되어 있으므로
삶을 함께 살아가는 것이다

당신 곁에서
당신을 위해 기도하며
사랑하는 일을 쉬지 않고
우리의 인연을 감사하며
살아갈 것이다

설렘

잿빛에서 푸름으로 넘어가는
계절의 경계에서
그대를 알아챘다

뉴턴의 사과가 지구에게로 굴러가듯
그대는 원대한 바람을 끌어당긴다

내 몸 속 마지막까지 남을
한 방울의 핏방울까지
황홀하게 그대에게 침윤되길

내가 너를 사랑하는 방법

아무런 약속하지 않는 것
영원히 사랑한다 약속하지 않는 것

오직 온 하루를 너로 물들인다

고스란히
눈물겹도록
지금의 나를
너에게 기울인다

내가 너를 사랑하는 방법

낯선 울렁거림

장님처럼 아무것도 보지 못하는
고요한 절망의 그늘 속에서
얼마든지 꺼져가는 내게

수많은 별들을 보이며
활짝 열린 너의 살가운 창
낯선 울렁거림이 생동한다

벅차오르는 예감의 속삭임으로
막연한 내 삶이 선명해진다
안개가 걷히고
수면이 반짝인다

내게 허락된 날들이 남아 있다면
나의 모든 날을 그대와

3장 보고 싶다는 말은
깊은 슬픔이다

보고 싶다는 말은 깊은 슬픔이다

그대와 닿을 수 없을 때
어떤 것도 위로되지 않고
아무 생각 할 수 없이
다만
보고 싶어 애닳을 때

불현듯
가슴 조이며
기다려지고
그리워져도
견뎌야 할 때

그러나 다가갈 수도
만질 수도 없는
현실
깊은

구덩이

먼 구름다리를 건널 수만 있다면
이 겨울의 계절이 지나간다면

보고 싶지 않다
보고 싶지 않다
주문을 외운다

널 만나러 가는 길

매섭고 차가운 바람이 아닌
촉촉하고 부드러운
겨울비가 반겨준다

나뭇가지 맺힌 빗방울이
수줍게 내 마음 간지리고
깨끗해진 거리도
걸음을 반짝여준다

자연스럽고도 투명한 걸음으로
좁은 길
낮은 길
구불구불한 길
비의 은총을 받은 풍경들을
눈으로 들이마시며
너에게 걸어간다

설화

눈송이 되어 날아간다
그대 있는 곳으로

망설이지 않고 날아간다
그대 시선 향하는 곳으로

잔잔하게 날아간다
그대의 맑은 삶 속으로

날아서
곁에서
따스한
설화로 피어난다

겨울 산책

강 바람이 온몸을 훑고 지나간다
갑자기 불어온 그리움처럼
뺨을 만지고 머리카락 휘날린다

때이른 목련 봉오리 피어나면
극침같은 추위에
진저리 쳐질 세월을 알려나 모르려나

그럴 때가 있다
멋모르고 피어날 때
너무 일찍 만나질 때
기다림과 그리움이 길어질 때
추운 겨울 따스히 내려앉을
햇살을 기다려 본다

내 마음 들리나요

해가 돋는 아침
세상을 환히 비추듯

새로운 만남에 마음이 열리고
영혼의 따스함이 연결된다

서로를 향한 따스한 눈빛은
깊은 응원과 기쁨이

떨어지는 별을 함께 맛본 듯
시처럼 피어나는 향기로 이어질
우리의 인연

서로를 위해 주고 싶은 맘
그저 마주 앉아
바라만 봐도 좋은 그대여

그대에게

나 그대에게
해줄게 아무것도 없어
내 마음 살며시
바람에 실어 보내요

맑은 숨결
그대 가슴에
가닿아

온통 그대뿐인 내 마음이
전해지길

나 그대에게
해줄게 아무것도 없어
오직
내 마음만 전해요

순정한 눈물

어제의 씨앗 하나로 감사했다
바람부는 언덕에서
그대가 준 입맞춤에
씨앗은
뿌리가 깊어졌고 꽃이 피었다

오늘만큼만
순정한 눈물처럼
사랑하기로

타인의 시선을 염려 말아요
작은 꽃을 떨어뜨리지 말아요

짧은 삶은
눈물이 춤추는 것

나의 생에 시월이 온다면

시월은 청명한 맑은 하늘을 가지고
황금빛 노을을 비추고
온화한 구름과 선선한 바람을 주고
열매를 맺는다

나의 생에 시월이 온다면
무엇이든 젖게 하는 비의 모습일까
어디로든 갈수 있는 구름의 모습일까
언제든지 웃게 하는 햇살의 모습일까

넓은 마음으로 서로 도와가며 사는 사람
변함없이 겸손하고 한결같은 사람
누구에게나 지혜와 사랑을 줄 수 있는 사람
시월 같은 사람이 되고 싶다

이 지구상에서 가장

내가 너를 사랑한다는 것은
나의 모든 날을 너로 가득 채워가고 싶다는 것
이 지구상에서 가장 사랑하는 사람이 너라는 것

나의 일상 속에 너의 숨결이 녹아
문득 네게 감사하고
그리워지는 시간을 보내는 것

너를 향해 가는 길이
험난하고 위태롭더라도
한 걸음씩 감내하며 나아갈 수 있다는 것

나의 시

나의 시는
온통 너
문장과 단어로
마음을 그려본다
곱게 담은 선물처럼
너에게 띄운다

나의 시는
전부 너
심장과 입술로
숨결을 읊어본다
향기 담은 눈빛으로
너에게 전한다

당신이 어디에 있든지

당신이 없는 내 삶은 공허와 암흑
당신이라는 빛이
내 앞을 비추고 있어야
난 걸어갈 수 있습니다

당신의 사랑만큼
살아갈 힘과 기쁨을 증폭시키는 일은
내게 없습니다

대담하게 당신의 사랑을 구합니다
당신이 낮은 곳에 있든 높은 곳에 있든

감히
우리가 연결되기만을 바랍니다

안부

잘 지냈나요
지친 몸을 이끌고
집에 잘 들어갔나요
혼자 묵묵히 밥을 먹는 일에는
익숙해졌나요

당신에게 안부를 전해요
오늘은 당신을 쓰다듬어주고 싶어요
캄캄한 밤 눈을 감으면
따스했던 기억들이
부드럽게 영혼에 스며들기 바라요

사랑 앓이

사랑은 전신에 퍼져가는 통증
얼굴은 마르고 몸은 수척해진다
감성적인 밤으로부터 이른 새벽을 맞이하는
얇고 매끄러운 피부를 사랑하는 인간은

질투가 불일 듯 일다가
잠잠히 처연해지다가
소식에 귀 기울이다가
이내 그리워지다가

연결되지 않아
괴로워 하다가
고통도
아픔도
슬픔도
지나갈 것이지

스스로 위무하다가

시절을 가리지 않는
사랑 앓이에
살아갈 힘을 움켜쥔다

알 수 있다면

그녀의 마음을 읽을 수 있다면
내 방식대로 내가 원하는 대로가 아니라
그녀가 만족할 수 있는 사랑을 하고

이 순간 원하는 것이 무엇인지
눈빛을 보고 읽어 낼 수만 있다면
속 마음을 송두리째 훔칠 수 있을 텐데

그녀가 마음 아파하는 일에 같이 아파하고
옷깃을 적시는 비가 내린다면
그 비를 곁에서 함께 맞아주고
그녀가 꿈꾸는 길이 에메랄드 빛 길이라면
그 길을 함께 걸어갈 텐데

그녀의 마음을 읽을 수 있다면
그녀의 아픈 마음을 들여다 보고 쓰다듬어 주고

외로움을 안아주고 보듬어주고 풀어 주리라

그녀는 나의 모든 기쁨이자 슬픔

그녀와 함께 있는 시간

시계 바늘이 빠르게 달리기를 한다

그녀가 사랑하는 사람이

내가 될 수 있다면

내가 된다면

나는 무엇이든지 할 텐데

문득

그대 목울대에 물컹한 그리움이 올랐다 내려앉기를
새 메시지가 도착해 핸드폰을 볼 때마다
캄캄한 밤하늘 달빛을 볼 때마다
시린 바람에 얼굴이 베일 듯 추울 때마다
문득
죽을 듯이 나를 그리워하면 좋겠다

내 빈자리가 먹먹하고 허전해
한순간
쿵 하고
가슴이 내려앉으면 좋겠다

내가 없어도 일상이 순탄하게 이뤄지는 그대는
그대가 없으면 하루도 온전하게 견디지 못하는
나를 모르기를

애상

그리울 때마다 한 문장씩 쓴다
한 문장들을 엮어 보니
여러 문단이 전부 너였다

사람을 좋아하면 점차 바라는 게 많아진다는데
그저 존재 자체를
감사로 여겨야 할 그대

나를 더욱 사랑하게 해 달라고
밤마다 간절히 기도한다

나를 애달파하고 사무치게 보고 싶게 해 달라고
다시 만날 수 있는 날이 오기를

사랑이 아니었던 적이 없는
그대의 다정하던 체온이 그립다

1월

1월에는
그대를 덜 그리워해야지
그대를 덜 그리워해야지
날밤 고스란히 밝히다 잠 못 들고
그리워하다
그리워하다
밤의 소리도 듣지 못했던
12월이 서글퍼

여기 멀리 있어도
그대의 존재에 감사하며
뜨겁던 말을 기억하며
그대를 덜 그리워해야지

견디는 일

네가 네 일을 마치고 올 때까지
흐르는 시간을 견딘다

내 일은 너를 기다리는 일
내 삶의 마지막이 너이길

가끔 빛나는 너의 눈빛을 먹고
나는 연명한다
견디는 동안 비참할 때면
울기도 할게요

내 일은 너를 기다리는 일
이 시절이
아무것도 아닌 게 되는 날까지

당신을 기다리는 가을

떨어지는 낙엽은
중력을 거스를 수 없어
흙으로 회기 한다

나무에서 시작된 생명은
결국엔
깊숙이 앉아있는 뿌리와 만나겠지

애틋한 만큼의 힘을 가진 채
그렇게
시간은 흐른다

삼키는 말

보고 싶었다
너의 미소짓던 눈빛

듣고 싶었다
너의 근사한 목소리

마음이 더 커지지 않게
가만히 삼킨다
수없이 입술에서 새어나오려던 그 말

마지막까지
너를 사랑한다
말하지 못하고
달빛에 실어 보낸다

네가 다가왔을 때

네가 다가왔을 때
흩어져 있던
나의 시간들이
우리 앞으로 모이기 시작했다

곱슬거리는 머리칼을 타고 흐르는 턱선
부드러운 손
탄탄한 허벅지
빛나는 목소리
너의 냄새까지
나를 뒤흔들었다

난 보았다
소년 같은 맑은 눈빛 속
거인처럼 점점 커지는 내 영혼을

지금도

나는 너의 환한 얼굴빛에 녹는다

흔적 없이 기화되어

너의 기억 속으로 스며든다

너를 단단히 쥐고 놓지 않는다

반복되는 결심

당신을 사랑하게 될 것 같았다
멈출 수 없을 것 같은 예감이었다

대나무 숲으로 가 당신을 사랑한다고
외치고 싶어 밤마다 달리다
작은 새가 들을까 침묵했다

말할 수 없는 비밀을 간직한 채
나는 늙어간다

다시는 당신을 사랑하지 않으리
매일 밤 결심한다

비오는 날

비오는 날 생각나는
그리움이 있습니다

우산을 펼치면
그대와 함께 걷던 기억이
어깨에 떨어지던 빗방울이
가까이에 느껴지던
그대의 숨결과 향기가

채워지지 않는 그리움으로
가슴 한켠에
꼭꼭 숨어 있습니다

나의 그리움은
여전히 그대를 향해 있습니다

결핍

당신이 없는 결핍의 시간은
내 존재가 꺼져 갈 만큼
잔인한 시간

당신이 얼마나 간절한지
당신은 알지 못합니다

망각의 끈을 쥐고
무참히 구겨지고 또 찢겨져

그럴수록 온 세상은
당신의 얼굴

혼자 있어도

당신과 물리적으로 함께할 수 없어도
혼자 여기서
미소 짓는다

멀리 떨어져
각자의 일상을 살아가면서도
흔들리지 않고
당신을 깊이 의지할 수 있는 힘은
당신이 심어준 믿음의 씨앗

나는 이미 살아갈 힘을 가졌다
당신이 잘 지내고 있다면
그저 고맙다

봄이 오면

봄이 오면
그대를 만나러 갑니다

간절히 그리워하면
언젠가는 만날 수 있을 거니까요

봄꽃의 모습으로
봄바람의 얼굴로

절실히 그리워하면
그대에게 내 마음이 닿을 거니까요

그대를 떠올리면

입가에 미소가
가슴에 온기가

그대의 목소리
아련한 뭉클함에
마음이 몽글몽글

그대와 연결되어
가슴이 기쁘다
일상을 살아갈
힘이 생긴다

향기

멀리 있지만
생각하면 기분 좋은 사람

생각만해도
달달해지는 마음

언제나 나를 응원해 주는
진심인 사람

당신은 향기나는
좋은 사람

아끼지 말고 마음껏

마음속에 있는 따뜻한 마음
나만의 언어로 표현해요

지금 곁에 있는 내 사람에게
마음결을 표현해요

지금 이 순간은 다시 오지 않아요
정말 좋은 사람 생기면 줘야지 했던
그 마음 아껴두지 말아요
지금 곁에 있는 사람이
좋은 사람이에요
마음껏 좋아하고 표현해요

유월 밤

저녁 산책길 수국이 소복해지면
긴 그리움처럼 유월밤이 떠오른다

말갛게 차려입은 노오란 달빛 아래
한가로이 소요산 근처를 거닐다
'토가'에 들어가 동동주와 파전을 시키고
끊임없는 이야기 꽃 피우던 그 밤
두 눈에 별들 가득히 쏟아져 나오던 그 밤
그 수많은 별들이 내마음 속에 소복해졌다

유월 밤이 오면
그 시절 그리움으로
창을 열고 별들 헤아려 본다

너만 모른다

길가 작은 풀꽃처럼
싱그러운 향기가 나고
활짝 피어난 너의 삶
세상 그 어떤 꽃 보다
제일 예쁜 꽃

마음 환히 밝혀주는
푸릇푸릇 초록 잎까지
가장 아름답다는 것을
너만 모른다

다만

내가 서울을 떠날 때
흘렸던 네 눈물 잊지 못해
오랫동안 널 볼 수 없을까봐 아쉬웠지

내가 어디 있든지
날 보러 와줘서 고마워
네 존재가 위로였어

3시부터 행복해지는 사막 여우처럼
너의 소식은 날 설레게 했지

네가 준 행복을
나는 어떻게 보답할까
다만
곁에 있어주고
입술을 열어 너를 위해 기도할밖에

내 모습 그대로 사랑해 줘

내 모습 그대로를 사랑해 주는 너였으면 좋겠어

내 생각을 존중해 주는 사람

내 생각과 달라도 이야기를 잘 들어주고

다른 부분은 인정해 주는 사람

내 안의 가능성을 열어주고 응원해 주는 사람

잘 보이려고 애쓰지 않아도 되는 사람

내 허물이 보여도 덮어주는 사람

배려 깊은 사랑을 받고 싶어

내 본래의 모습이 사라지지 않도록

세상 가장 아름다운 단어

내 몸의 모든 감각이
오직 그대에게로 향하기 충분할 만큼
아름다움 자체입니다

언제부터인지
전과는 다른 세상을 느끼며
새삼 감탄합니다

그대가 하는 이야기에 웃고
그대의 미소 짓는 모습에 설레고
충만한 세상을 살아갑니다

그대로 인해
내가 빛나기 시작합니다
그대를 만나
새로운 세계가 펼쳐집니다

내가 나로 온전히 존재할 수 있게 하는 그대
그대는 아름다움입니다

가을의 문턱에서

눅눅했던 공기
진득했던 감촉
시원해진 솔바람으로
살며시 다가옵니다

산뜻한 공기와
찬란한 햇살은
초록 나뭇잎을 붉게 물들이겠지요

기다리던 당신이 찾아오신 것처럼
반갑고
기쁘고
새롭습니다

가을의 문턱에서
코스모스도 보고

바스락 낙엽도 밟게 될

이 가을을 기대해봅니다

너의 그림자

너를 가질 수 없다면
나는 너의 그림자가 되겠어

그림자가 네게 쓸모가 있든 없든
너는 그림자와 익숙해져서
그림자를 버리는 일 따위는 하지 않을 테니

네가 걷는 개천을 따라 걷고
네가 타는 기차를 따라 타고
너와 같이 어디든 움직일 수 있을 거야

빛이 없는 곳에서는 살며시 모습을 감추고
어둠이 내리는 곳에서는 함께 잠들 수 있을 거야

누구나 그림자를 데리고 살듯이
빛이 있는 곳에서는

너와 같이 움직일 수 있을 거야

그림자 된 나는
더 이상 외톨이가 아니면서
철저히 외톨이가 되는 거야

발　행 | 2024년 01월 08일

저　자 | 고선애

펴낸이 | 한건희

펴낸곳 | 주식회사 부크크

출판사등록 | 2014.07.15.(제2014-16호)

주　소 | 서울특별시 금천구 가산디지털1로 119 SK트윈타워 A동 305호

전　화 | 1670-8316

이메일 | info@bookk.co.kr

ISBN | 979-11-410-6555-3

www.bookk.co.kr